3

豊臣秀吉

「ありがとう」は、人間関係をよくする魔法の言葉

4

小林虎三郎

目の前の小さな幸せよりも、将来の大きな幸せを

5

石田三成

相手の立場に立って、優しい言葉や、親切を

マンガ 歴史人物に学ぶ 大人になるまでに身につけたい 大切な心 5

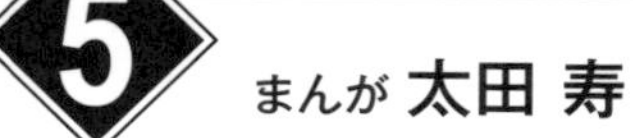

原作 木村 耕一　まんが 太田 寿

もくじ

マンガ 歴史人物に学ぶ
大人になるまでに身につけたい大切な心⑤

大きな夢を持つと、「よし！　頑張ろう」と、元気がわいてくる

南極探検を成功させた白瀬矗

白瀬矗
（1861年生-1946年没）

人物紹介

白瀬 矗（しらせ のぶ）

私たちが住んでいる地球は、太陽系の惑星です。地球儀を思い浮かべてください。丸い地球が、少し傾いていますね。手で回すこともできます。

地球儀の北の先端を北極点、その周辺を北極といいます。南の先端を南極点、その周辺を南極といいます。

白瀬矗の少年時代には、北極点へも、南極点へも、まだ、誰も行ったことがありませんでした。世界中の探検家が一番乗りを競っていたのです。

白瀬少年は、十二歳の時に「北極探検をしたい」と決意します。しかし、目標達成へ向け努力している途中で、アメリカの探検家が先に北極点へ到達してしまいます。

その時、白瀬は、夢を捨てずに、北極よりも、もっと寒さが厳しい南極へ向かう決意をします。常に前向きに、夢に向かって突き進んだのが白瀬矗の一生でした。

「人間は目的に向かって
剛直に、真っすぐ
進むべきものである」
四十年かけて夢を
追い求めた男・
白瀬矗の名言です

秋田に生まれた
白瀬は、わんぱくな
少年でした

ある時、寺子屋（学校）
の先生から、西洋人の
冒険談を聞いたのです

*コロンブス……一四五一年生～一五〇六年没。イタリアの探検家。
*マゼラン……一四八〇年生～一五二一年没。ポルトガルの探検家。

まず、北極の厳しい寒さに耐えられる体を作らなければならない
そのためには、酒を飲まない、たばこを吸わない、茶を飲まない、湯を飲まない、どんなに寒くとも火に当たらない、この五つを守ることだ

できるかな？
ハイ！分かりました

やれやれ、これで断念するだろう……

ところが白瀬少年は、まじめに実行し始めたのです
秋田の冬はとても寒いのに、寺子屋でも、自宅でも、火鉢に近づこうとしませんでした

ビュウウウウ
しかも、お茶やお湯を飲まないだけでなく、ご飯も味噌汁も冷めてから口にするように心がけたのです

俺は後から食べるね
体を壊すぞ

涙ぐましい努力で、二年めには厳しい寒さの中でも体が震えないようになったのです
？

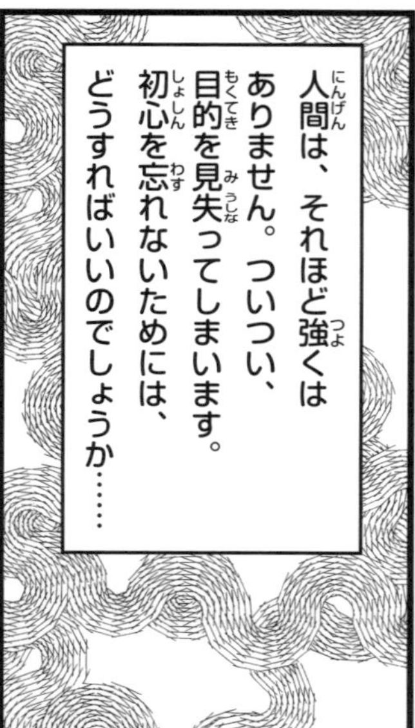
人間は、それほど強くはありません。ついつい、目的を見失ってしまいます。初心を忘れないためには、どうすればいいのでしょうか……

明治十二年（一八七九）、
十九歳になった白瀬は、
東京で陸軍に入りました

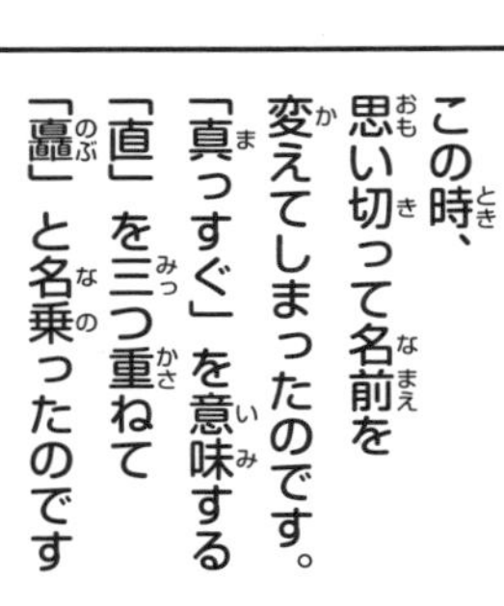
この時、
思い切って名前を
変えてしまったのです。
「真っすぐ」を意味する
「直」を三つ重ねて
「矗」と名乗ったのです

理由は明快でした
自分は今、
目的の第一歩を
やっと踏み出した
ばかりである。
初心を貫くには、
普通の人の
二倍も三倍も
頑張らなければ
ならない

だから、直の字を
三つもつけたのだ
ここに、「白瀬矗」が
誕生したのです

白瀬矗！
はいっ！
これなら、名前を書いたり、呼ばれたりするたびに、原点を確認できます。必ず初志貫徹するぞ、という強い気持ちが伝わってくる改名でした

明治二十三年、仙台の第二師団で軍隊の演習が行われた時のことです

さあて、夜はお楽しみだ

みんなで酒を飲みに行くぞ

白瀬は一人、テントに残って日記を書いていました

＊児玉源太郎……一八五二年生～一九〇六年没。明治時代の陸軍軍人。日露戦争の総参謀長として日本を勝利に導きました。

＊千島……北海道東端からカムチャツカ半島南端までの間に連なる列島。

＊樺太……現ロシア連邦サハリン州の主島。

ありがとうございます。援助をお願いいたします
ガタッ
何事をなすにも必ず困難が伴うものだ

その困難に打ちかって大事業を成し遂げてこそ、男というものだ
男らしく、正々堂々とやりたまえ。初めから他人の助けを当てにするような人間は、決して成功せん

重ね重ねのご教訓、ありがとうございます

また会おう

この出会いは、白瀬に、とても大きな勇気を与えました
児玉源太郎の助言どおり、白瀬は、千島列島へ向かいました
一度ではなく、二度も千島列島への探検を行い、そこで厳しい冬を乗り越える訓練をしたのです

*ピアリー……一八五六年生～一九二〇年没。アメリカの探検家。

*スコット……一八六八年生～一九一二年没。イギリス海軍の軍人。

南極探検は、もはや国家事業だ
政府へ費用の援助を申請しよう

こんなこと、他の国にさせておけばいい

大蔵省

南極探検をすると、日本の経済にプラスになることがあるのか？

国からはお金が出ませんでした

ならば、国民に訴えよう！
この計画を大々的に知らせるのだ

白瀬は、東京・神田で、南極探検発表演説会を開催したのです

*大隈重信……一八三八年生〜一九二二年没。明治・大正時代の政治家。

しかし、演説会は盛り上がっても、資金集めには苦労しました

国民の善意によって船の購入から遠征費用まで、全て用意しなければならない

結局、国から援助はゼロ……

資金不足で用具がそろいません
出発はまた延期だな……

この予算では、大型船は無理だ

白瀬は現実的な道を選びました
わずか二百トンの木造船を改造し、「開南丸」と名づけ、命を託すことにしたのです

＊アムンゼン……一八七二年生～一九二八年没。ノルウェーの探検家。

何とでも言えばいい。褒められても、悪口を言われても、そんなものは、山にかかる雲か霧のようなものだ
山が、どっしりと自信を持って構えていれば、どれだけ雲や霧が出てきても、何ともない。
やがて晴れる時が来るさ

私は必ず行けると信じている
児玉源太郎のアドバイスで千島探検を重ねた経験が、自信になっていたのです

航海は隊員の決心一つだ
操縦次第なのだ

どんなに巨大な船であっても、乗組員が、困難に負けたり、危険におびえたりするようでは、何の役にも立たないだろう
二百トンでけっこうである！

必ず行ってみせる!!
白瀬は、南極点一番乗りではなく、日本人がどこまでできるか挑戦すること、未知の大陸・南極の学術調査をして世界に貢献することを目標に掲げました

ワァァァ

明治四十三年十一月、白瀬矗の開南丸は、東京・芝浦を出港したのです
ザザザ

＊南極圏……南緯六六度三三分以南の地域。

諸君、何をするにも、必ず、困難が伴うものだ。
無謀なことはせずに、ここで引き返すことにする
しかし、一度は挫折したとはいえ、ここであきらめるのではない

*シドニー……オーストラリア南東部の都市。

ドガガ

よし、上陸を始める！

数々の困難を克服し、明治四十五年一月十六日、ついに南極大陸への上陸を果たしたのです

これが……
夢にまで見た
南極……
あれはノルウェーの
フラム号では
広い南極で、思いがけず、
ノルウェーのアムンゼン
隊と出会ったのです

ついに
やってきたのだ……
この時、白瀬矗、五十二歳。
四十年越しの夢の
実現でした

同じ困難な目的へ
向かう男同士です。
お互いの船を訪問し、
親しく語り合いました

開南丸……

我々ならば、こんな
小さな船で、南極どころか、
途中までも来ることは
できないだろう
粗末な装備の開南丸を見た
ノルウェーの船長は、
日本人の勇気とチャレンジ精神に
驚いたといいます

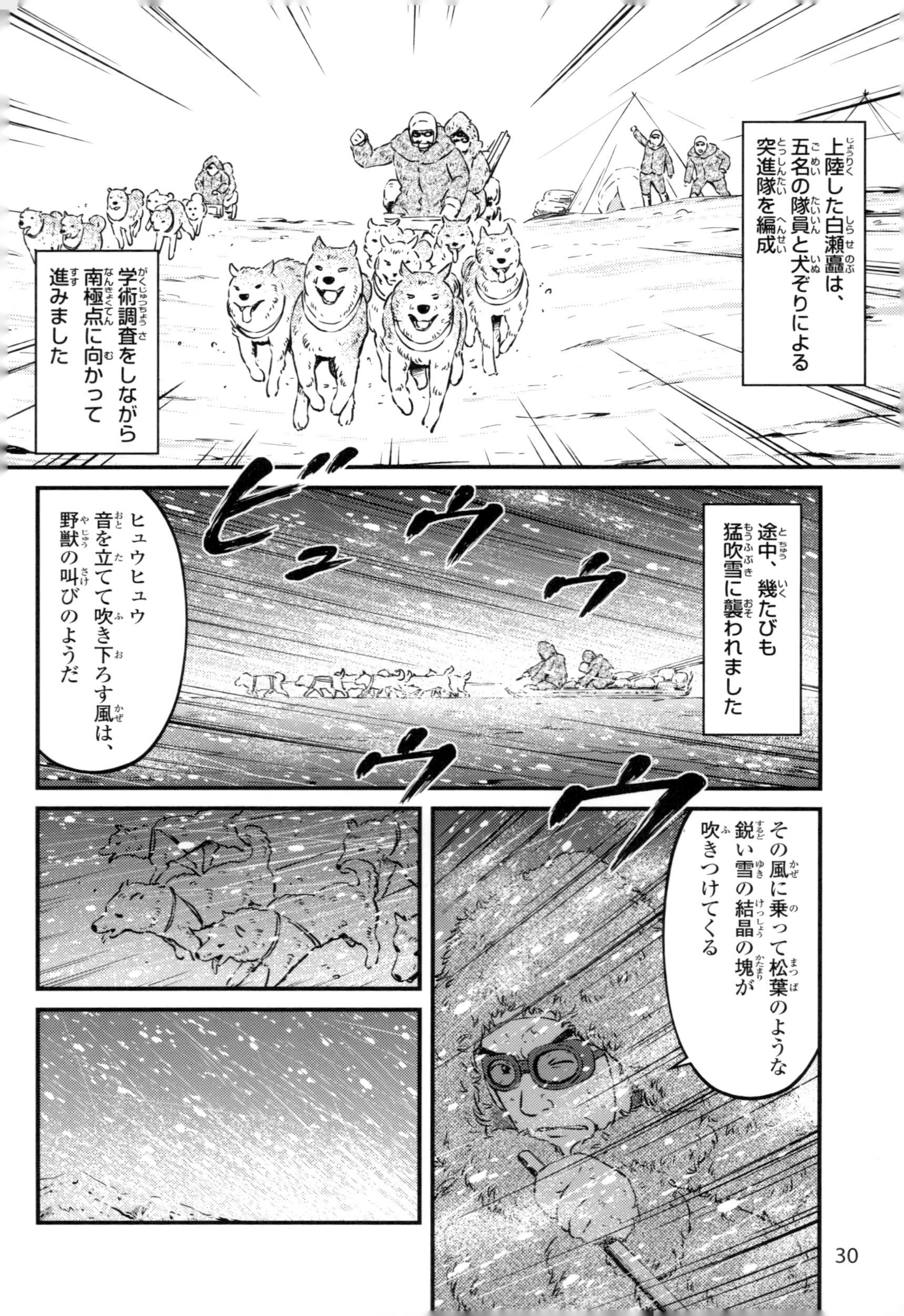
上陸した白瀬矗は、
五名の隊員と犬ぞりによる
突進隊を編成
学術調査をしながら
南極点に向かって
進みました
ビュウウウウ
途中、幾たびも
猛吹雪に襲われました
ヒュウヒュウ
音を立てて吹き下ろす風は、
野獣の叫びのようだ
その風に乗って松葉のような
鋭い雪の結晶の塊が
吹きつけてくる

豆知識 ＊南極点への一番乗りに成功したのはアムンゼン隊でした。白瀬隊は南極点への到達はできませんでしたが、南緯八〇度を越えたのは、アムンゼン、スコット隊などに続いて四番めの快挙でした。

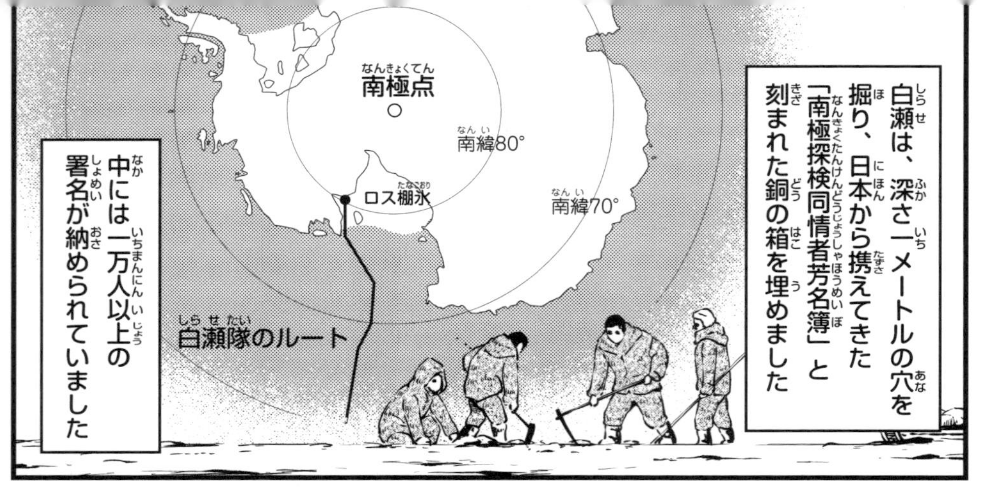
白瀬は、深さ一メートルの穴を掘り、日本から携えてきた「南極探検同情者芳名簿」と刻まれた銅の箱を埋めました
南極点
南緯80°
南緯70°
ロス棚氷
白瀬隊のルート
中には一万人以上の署名が納められていました

支援者の期待を裏切るわけにはいかない
必ず生きて、日本の土を踏まなければ！

この地点を「大和雪原」と命名する！

大任を果たした開南丸は
東京湾を目指し
帰途につきました

ほぼ同じ時期、
イギリスのスコット隊は、
見事に南極点に
達しました
しかし、その帰路、
吹雪の中で全員が
死亡したのです

東京では、待ち構えていた
五万の群衆から、
非常に大きな歓声が沸き起こり、
花火が打ち上げられました
南極点までは行けませんでしたが、
わずか二百トンの木造船で
南極へ往復し、
一人の犠牲者も出さなかったことは、
世界中からも高く評価されたのです

白瀬は、人生を回顧して、次のように語っています
人は、多くの困難を乗り越えてこそ、りっぱな人物になれる。苦難に出合った時は、どれだけ自分が耐えられるか、試されていると思えばいい

子供の時から、将来、成し遂げたい夢や目標を持つことは、大切なことです
目的がハッキリしていると、白瀬矗のように、どんな困難に出合っても、「頑張ろう」「乗り越えよう」と、元気がわいてくるのです

大切な心

悪口を言われても、笑われても、クヨクヨしない

白瀬矗が、南極探検の計画を発表した時には、多くの人が、白瀬の勇気に感動し、拍手して応援してくれました。

ところが、白瀬が、わずか二百トンの船で出発することが分かると、人々の反応が、ガラリと変わります。

「そんな小さな船では無理だ」

「すぐに沈没して、笑われるぞ」

と、さんざん悪口を言われました。

こんなことを言われると、誰でも、「もう、イヤだ」と投げ出したくなります。

ところが、白瀬は違いました。こう言っています。

「何とでも言えばいい。褒められても、悪口を言われても、そんなものは、山にかかる雲か霧のようなものだ。山が、どっしりと自信を持って構えていれば、どれだけ雲や霧が出てきても何ともない。やがて晴れる時が来るさ」

かっこいいですね。私たちも、誰かに笑われたり、悪口を言われたりしても、クヨクヨしなくてもいいのです。そんなものは、雲や霧だと思えばいいのです。やがて、風に吹かれて消えていくのですから……。

大切なのは、「これが正しい」「これをやり遂げたい」と思うことを、自分で考え、自分で責任を持ち、努力して進んでいくことなのです。

(Royal Geographical Society/アフロ)

白瀬が南極探検に向かう時に乗った開南丸。元は漁船だった二百トンの船を改造したものでした。

南極点に向かっていた白瀬隊は、南緯80度05分、西経156度37分の地点まで到達することができました。白瀬は、この地点を「大和雪原」と名づけました。（写真中央が白瀬矗）

(近現代PL/アフロ)

「あきらめたら、終わり！」どんなピンチも、アイデアで乗り越える

フライドチキンを世界へ広めたカーネル・サンダース

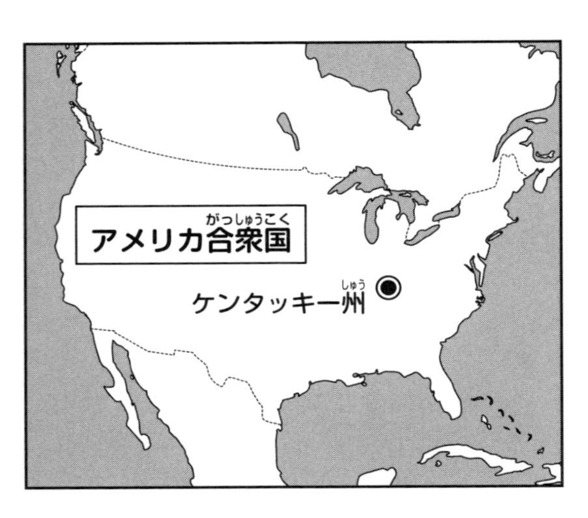

カーネル・サンダース
（1890年生-1980年没）

人物紹介

カーネル・サンダース

おいしいフライドチキンを販売する店として、アメリカで生まれた「ケンタッキーフライドチキン」は、今では、世界中に拡大しています。百二十以上の国や地域に店舗があるといわれています。

そんな巨大なチェーン店を作り、大成功した人とは、いったい、どんな人だったのでしょうか。

もしかしたら、皆さんも、会ったことがあるかもしれません。日本では、ケンタッキーフライドチキンの店の前に、白いスーツを着た、白髪の男性の人形が立っています。創業者であるカーネル・サンダースです。この人形は、親しみをこめて「カーネルおじさん」「ケンタッキーおじさん」という愛称で呼ばれています。

カーネル・サンダースの成功は、六十五歳の時の、ある不幸な出来事がきっかけでした。

カーネル・サンダースは、
アメリカのケンタッキー州
南部の国道沿いで
小さなガソリンスタンドを
経営していました
もっとお客さんに
喜んでもらえる
ことがしたい
SANDERS CAFE
やがてスタンドに小さな
カフェを設けました

とても評判がよく、
売り上げは順調に
伸びていました

あそこはサービスがいいよ
食事もうまいしね

特に、フライドチキンがおいしいんだよなー

やがて地元のレストランガイドにも「料理がおいしい店」として紹介され、ますます人気が高まっていきます
BARLAND
SANDERS
RESTAURANT
二十四時間営業にし、店舗を少しずつ増やしていきました

さあ、皆さんが喜ぶ料理を、心を込めて作ります

もしおいしくなかったら、代金は払わなくても結構です

ところが、新たに高速道路が建設されたため、レストランの前の国道を走る車が激減したのです
客が減り、経営が行き詰まってしまいました

レストランを売って、借金を返さなければならない
全ての支払いを済ませると、手元には、ほとんどお金が残りませんでした

六十五歳にして、全財産を失ってしまった……

しかし、彼は、あきらめませんでした

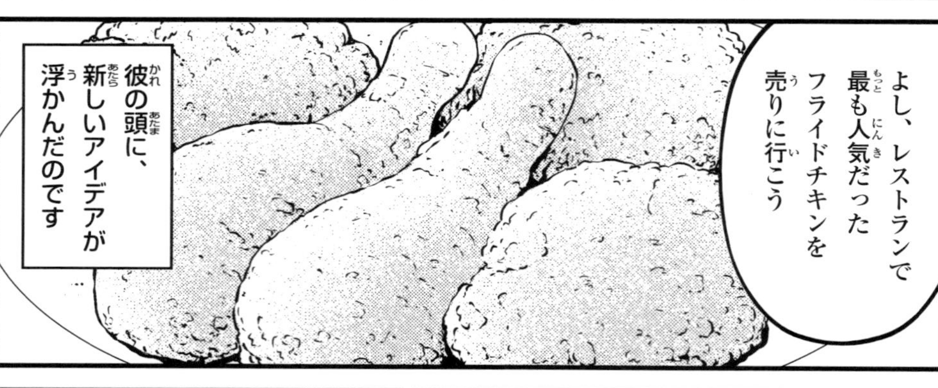

＊セント……一セントは一ドルの百分の一。

どうやって宣伝するの？
まず、レストランの経営者や調理人に、私のフライドチキンのおいしさを知らせなければならない

そのためには、試食してもらえばいい
ガブ

よいしょ

カーネル・サンダースは、車に圧力釜と独自のスパイスを載せ、レストランを訪ね歩く旅に出ました

RESTAURANT
しかし、誰も、いきなり訪ねてきた者の話を真剣に聞いてくれません

カラン
いらっしゃいませ

今、とってもおいしいチキンの紹介を……
?

なんだ、売り込みか

客じゃないなら、帰ってくれ

忙しい時に来るなよ

うちにはうちの味があるからね

訪問しても、訪問しても、断られました

手元の資金が、いつまでもつか分かりません
それでも彼は、自分のフライドチキンの味を信じていたので、少しもあきらめようとはしませんでした

今日の食事も、見本で作ったチキンの残りだな
ガブ

お金もないから、車の中で寝泊まりするしかない

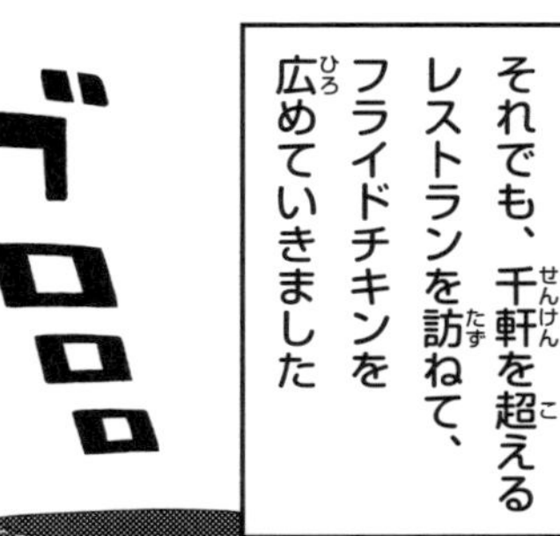
それでも、千軒を超えるレストランを訪ねて、フライドチキンを広めていきました
ブロロロロ

ふーむ、確かにおいしいチキンだな……
まずは、従業員用の食事として作らせてもらえませんか?

うまい、これはいいね
よし、客に出してみるかな

やがて、誰もが予想しなかった大反響が到来するのです

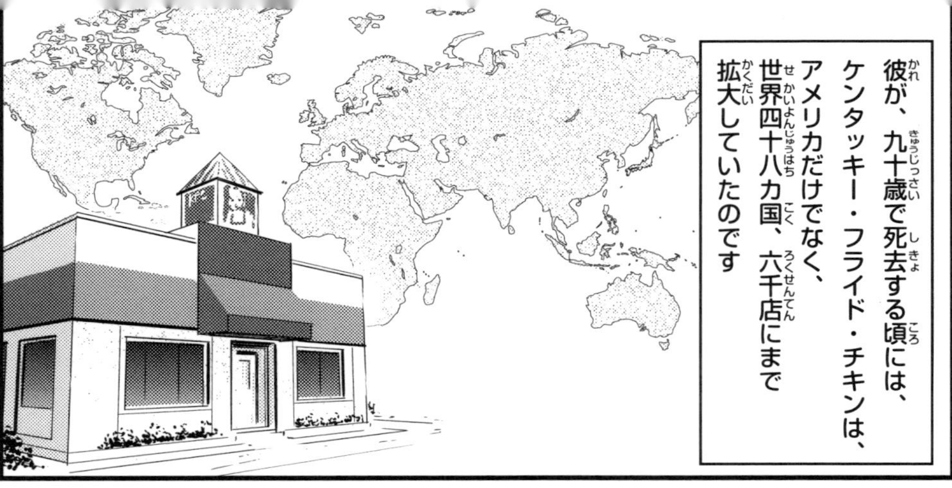
彼が、九十歳で死去する頃には、
ケンタッキー・フライド・チキンは、
アメリカだけでなく、
世界四十八カ国、六千店にまで
拡大していたのです

日本でも町中で、創業者
カーネル・サンダースの
人形をよく見かけます
白い上下のスーツに
黒ネクタイ、腕に
ステッキを掛けた
白髪の老人……

あの笑顔には、夢に向かって
まっすぐに生きた喜びが
あふれているようです

大切な心

困難にぶつかっても、あきらめない

もし、カーネル・サンダースが、六十五歳で全財産を失った時に、「自分の人生は、もうこれで終わりだ」とあきらめていたら、ケンタッキーフライドチキンは、世界に広がりませんでした。

たとえ絶望するしかないピンチに直面しても、思い切って発想を変えたり、物の見方を変えたりすることによって、新たな道が開けることがあります。

カーネル・サンダースのレストランが倒産したのは、客が減ったからです。その時、妻は、「どうしたら、人を集めることができるか」ではなく、「人が来なくなったのなら、人のいる所に売りに行けば？」と言ったのです。

発想の転換です。この言葉に、強く動かされたカーネル・サンダースは、新たなアイデアを思いつき、大成功を収めたのです。ピンチをチャンスに変えたのです。

私たちも、これからの人生で、何か困難にぶつかっても、あきらめずに、どこかに解決する方法がないか、前向きに考えることが大切です。

カーネル・サンダース

（AP/アフロ）

カーネル・サンダースは各店舗を回って味のチェックをしていました。特に日本には三回も訪れるほど日本好きだったといわれています。

サンダースの小さな店で始まったケンタッキーフライドチキンは、いまや120以上の国や地域に店舗が拡大し、世界中の人に愛されています。
（写真はエジプト・アラブ共和国の店）

（AP/アフロ）

第3話

「ありがとう」を、たくさん言うと、みんなと仲良くなれる

豊臣秀吉が、信頼関係を築いた秘訣

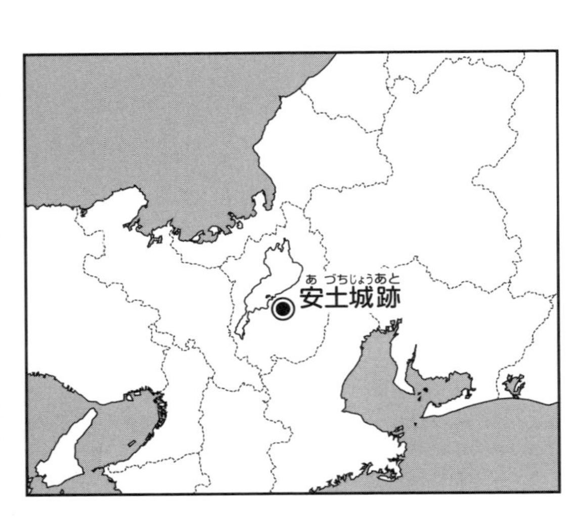

豊臣秀吉
（1537年生-1598年没）

人物紹介

豊臣 秀吉（とよとみ ひでよし）

戦国時代には、甲斐国（山梨）の武田信玄、越後国（新潟）の上杉謙信、尾張国（愛知）の織田信長など、各地に有力な武将が現れ勢力争いを繰り返していました。

その中でも、次々に強豪を倒し、日本の統一に最も近づいたのが織田信長でした。躍進を続ける信長の家臣として活躍したのが、豊臣秀吉です。秀吉は、もともと身分が低く、農民出身でしたが、信長に見込まれ、どんどん出世していきます。

信長が亡くなった後、日本統一を果たしたのは、秀吉でした。秀吉は、日本の歴史の中で最も成功した男、といわれますが、それは、運がよかったからではありません。他の誰よりも、努力していたのです。

では、どんなことに心がけていたのか。その一例を見てみましょう。

*織田信長……一五三四年生〜一五八二年没。戦国大名。尾張国の生まれ。

*安土城……現在の滋賀県近江八幡市にあった城。信長の最後の居城。

安土城

秀吉殿
あいにく信長様は三河へ＊お出掛けで留守にされておる

＊三河……現在の愛知県東部。

しかし殿から褒美を預かっておるぞ

おおっ！

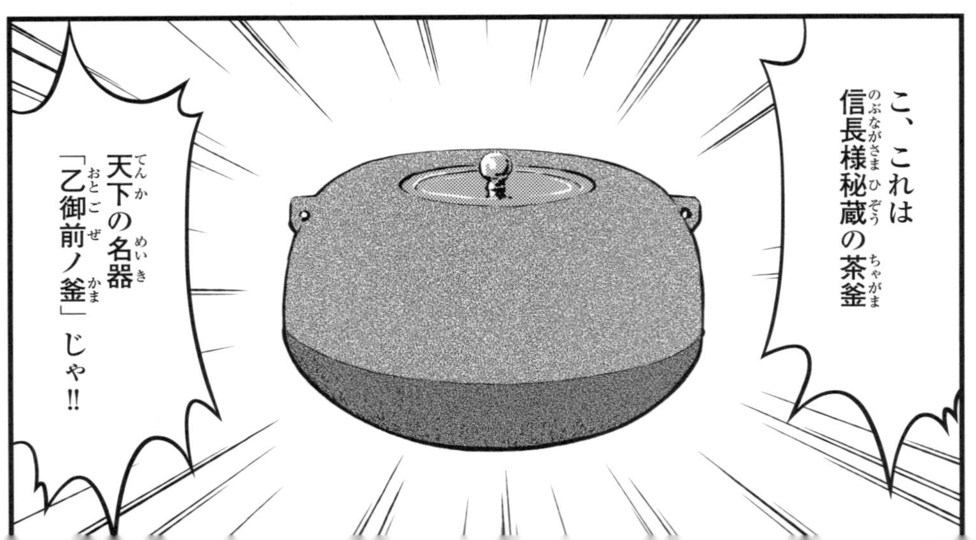
こ、これは信長様秘蔵の茶釜
天下の名器「乙御前ノ釜」じゃ!!

殿はこれをわしにとな!
ああ〜、ありがたき幸せ
バ
これこれ
やれ、うれしやうれしやのう〜
わははは
猿の舞じゃ
クル
クル
これは、家宝にいたしまするぞ

こんな様子を留守番から
報告を受けた信長は、
膝を打ち、手をたたいて
喜びました
何？ 秀吉が
そんなことを……

うはははは、
調子のいいやつめ！

しかし、また
何かしてやろうぞ
そんな気持ちが自然と
わいてくるのです

ふだんから秀吉は、
うれしいことがあったら
率直に表現するように
していました
それが、周囲の人々から、かわいがられ、
信用される基となり、戦国乱世を
生き抜く大きな力となっていったのです

これはありがたいのう！

でかした、でかしたぞ！

あっぱれ、見事じゃ!!

ようやった。礼を申すぞ！
見え透いたお世辞は逆効果ですが、「ありがとう」と心から言われて怒る人はいません

何かをプレゼントした時、相手が、本当にうれしそうにしてくれると、贈った人の心も幸せになります

母親や家族に作ってもらった食事でも、
当たり前のように黙って食べるよりも、
「おいしいね」「ありがとう」と言うと、
どれだけ喜ばれるか分かりません
感謝の心を、少しでも多く、
言葉や態度に表す努力をすることは、
人間関係をよくするために、
とても大切なことなのです

大切な心

「ありがとう」は、人間関係をよくする魔法の言葉

私たちは、一人では生きていけません。とても多くの人に支えられ、お世話になっています。だから感謝の心を持ち、言葉や態度に表すことが大切なのです。

一日に何回、「ありがとう」、「ありがとうございます」と言っていますか。

お父さん、お母さん、家族の人に、何かを買ってもらったり、何かをしてもらったりした時に、うれしそうにお礼を言っていますか。

「そんなこと、家族に言うのは、照れくさい」と思うかもしれません。でも、ちゃんと言葉に出して言うと、お父さん、お母さんは、とてもうれしいのです。子供からお礼を言われると、親は、幸せな気持ちになるんですよ。

学校の先生や、友達にも、きちんとお礼の言葉を言えるようになると、「りっぱだな」と思われ、きっと信頼されるようになります。

「ありがとう」「ありがとうございます」は、人間関係をよくする魔法の言葉といってもいいのです。

ものしりアルバム

安土城跡　織田信長が築き、それまでには例がない豪華な城だったといわれています。城の麓には秀吉など家臣の屋敷が多く構えられていました。

乙御前釜は、茶の湯釜の形状の一つで、上から見ると中央部がくぼみ（姥口）、おたふくの面のようにふっくらとした形の釜です。

（江戸時代初期の初代大西浄林作
霰乙御前釜：大西清右衛門美術館蔵）

「今日のことだけ、考えていていいの？」もっと先のことを、考えて行動しましょう

米百俵で学校を建設した小林虎三郎

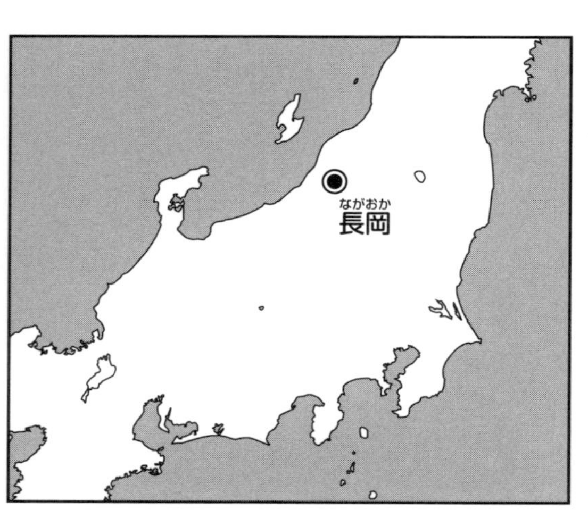

小林虎三郎

（1828年生-1877年没）

人物紹介

小林 虎三郎（こばやし とらさぶろう）

江戸時代の終わりには、日本人同士で、激しい戦争が起きました。戊辰戦争といいます。薩摩（鹿児島）、長州（山口）を中心とする新政府側につくか、徳川幕府側につくかで、日本中が、大きく動揺していました。

現在の新潟県新潟市、長岡市にあたる地域を支配していた長岡藩は、新政府軍と徹底的に戦い、惨敗します。長岡藩は戦争で多くの犠牲者を出し、経済的にも厳しい状況の中で、明治時代を迎えました。

長岡藩を、いかにして再建するか。この使命を果たすために「大参事」という重責に選ばれたのが小林虎三郎でした。現在の「副知事」にあたります。

小林虎三郎は、まず、何に力を入れたのか。その方針は「米百俵」のエピソードがハッキリと物語っており、現在も、多くの人に感動を与えています。

時は、江戸時代から
「明治」という新しい世に
替わったばかりの頃
ここ、越後*の長岡藩では、
新たな門出を祝う声は
どこからも聞かれません
でした

*越後……現在の新潟県。

戊辰戦争で新政府軍に
徹底抗戦し、惨敗した長岡藩は、
城下が焼け野原となっていました
おまけに米の不作が
続いていたのです

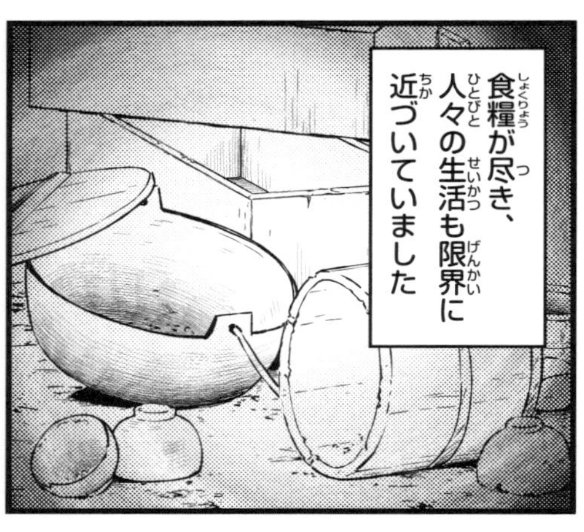

*三根山藩……現在の新潟県に置かれていた藩。長岡藩の分家。

米が百俵！
本当か、よかった！

これで子供に食べさせることができますね
ああ

この明るいニュースは、人々を元気づけました
しかし、いつまで待っても配分されません

一体どうなっておるのだ
もう腹が減って死にそうだ

おい、聞いたか！

三根山藩からの米百俵を売って、学校を建てるという話らしいぞ！
何っ⁉

学校？
そんなもので、
腹がふくれるか！
誰だ、そんな
たわけたことを
言うのは？

藩の重役、
小林虎三郎殿だ

許せん、絶対に
やめさせなければ！
そうだ！

小林殿は
いるか！

人々は、連れ立って
虎三郎の元へ
押しかけたのです
これは一体、
どういうことだ!?

もう、どの家にも米がないんだ。食えないから、米を配分せよ！

豆知識　小林虎三郎は病気で左目を失明していました。

よろしいか。今、
三根山藩から見舞いとして
受け取った米を配分すれば、
確かに腹の足しになる
しかし、百俵の米を
長岡の全家庭に分けても、
一軒当たり二升*ぐらい
にしかならない

数日で食い尽くして
しまうだろう
それで、
後に何が残るのか。
今さえよければいいのか

現在が苦しいからこそ、
未来を変えるタネまきを、
今、しなければならないのだ

しかし、みんな
ひもじい思いを
している
どれだけ苦しいか、
分かっているのか!

＊薩摩……薩摩国（現在の鹿児島県）に置かれていた藩。
＊長州……長門国（現在の山口県）に置かれていた藩。

有能な人物がいたならば、こんな痛ましいことは起こらなかったのだ
有能な人物を養成しておいたら、どんなに国が衰えても、必ず盛り返せるに違いないのだ

俺は固く、そう信じておる
そういう信念のもとで、学校を建てる決心をしたのだ

俺のやり方は、回りくどいかもしれない。すぐには役に立たないかもしれない
しかし、長岡を、立て直すには、これより他に道はないのだ

……

のう、今日のことだけ考えずに、先々のことを、よくよく考えてくれ

未来を変えるには、現在の行為を変えなければなりません
理にかなった虎三郎の言葉は、人々の心を動かしました

これをごらんあれ

常在戦場
それは長岡藩の家訓「常在戦場」の書でした。「常に戦場にあり」と読みます

常在戦場
「常に戦場にあり」とは、戦のない時でも、常に戦場にいる心構えで、いかなる苦しみにも耐えなさいという、お言葉ではないか
戦場にあったら、つらい、腹が減ったなどと言っておれるか

皆が一体となって、苦しみに打ちかってこそ、初めて国も、町も立ち直るのだ
「常に戦場にあり」とは、そういうことを教えられた言葉であると、俺は理解している

……

ズボッ

ザザッ
数々の非礼、お許しくだされ……

長岡武士の誇りにかけ、何としても困難を克服し、明るい未来を築かなければならない
この一点で、反対していた者も皆、心が一つになったのです

間もなく百俵の米を売却した資金で、学校が建設されました
初代校長には小林虎三郎が就任
武士も町民も、身分の差別なく、平等に学べる学校でした。当時の日本では、他に例の少ない、画期的なことだったのです

＊山本有三……一八八七年生～一九七四年没。大正・昭和時代の劇作家、小説家。

目の前の小さな幸せよりも、将来の大きな幸せを

米を分配してほしいと嘆願しに来た人たちに、小林虎三郎は、「今日のことだけ考えずに、先々のことを、よくよく考えてくれ」と諭しています。この言葉が、とても重要です。

百俵の米を、みんなで分けて食べることも、いいことです。空腹で苦しんでいた人たちは、ほっとするでしょう。でも、それは、わずかな期間でしかありません。

百俵の米を売って、学校を建設するためには、みんなで空腹を我慢しなければなりません。しかし、そのように苦労して教育に力を入れると、長岡に優秀な人が多く育ちます。

さて、どちらを選ぶのか。判断を迫られた時に、長岡の人たちは、目の前の小さな幸せよりも、将来の大きな幸せを選んだのです。

米百俵の群像　長岡市では戯曲「米百俵」を歌舞伎座で上演した時の一場面をブロンズ像で再現し、その精神を語り継いでいます。　（アマナイメージズ）

（アマナイメージズ）

長岡城は越後長岡藩の中心として栄えましたが、戊辰戦争により焼失しました。写真は二の丸跡地に建つ石碑です。

自分中心ではなく、相手の立場に立って、気配りできますか

三献茶で有名な石田三成

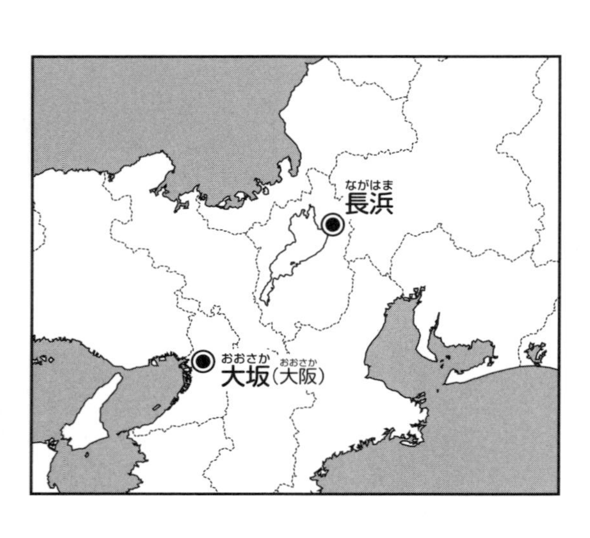

石田三成
(1560年生-1600年没)

人物紹介

石田 三成 (いしだ みつなり)

石田三成は、近江国石田村(現在の滋賀県長浜市)の出身です。

豊臣秀吉に仕えた武将の中でも、異色の存在でした。戦場で勇ましく戦って手柄を立てるタイプではありません。大軍を効率よく動かして戦うにはどうすればいいか。兵の食料、弾薬は、どれくらいが適切かなどの、軍需、経済面で優れた手腕を発揮し、秀吉の参謀として、天下統一をサポートしていったのです。

豊臣秀吉が亡くなると、徳川家康が天下を狙って、動き出します。これに対して、豊臣側の武将をまとめて立ち上がったのが石田三成でした。

三成は、関ヶ原の戦いで敗れてしまいます。しかし、生涯、主君の恩を忘れず、義を貫いた武将として高く評価されています。

＊織田信長……一五三四年生～一五八二年没。戦国大名。尾張国の生まれ。
＊長浜城……現在の滋賀県長浜市にあった城。

鷹狩りとは、飼いならした鷹を放ち、鳥やウサギなどを捕らえる狩りの一種です
随分と駆け巡りましたな

うむ。喉が渇いたわい

おお

ちょうどよい。あの寺で一休みしよう

誰かおらぬか、茶を入れてまいれ
パタ
パタ

この時、接待に出てきたのは、十五、六歳の石田三成でした
三成は、大きな茶碗に、ぬるめのお茶を、七、八分目ほど入れて持ってきました

グビ
グビ

ぷは〜っ
うまい！もう一杯

喉が渇いていたので、貪り飲みました

湯の温度も分量も、ちょうどよかったのです

次に三成が出したお茶は、やや熱く、量も半分になっていました
渇きが治まったあとは、喉元を心地よく通る温度がいいと思ったからです

ほう……

この心配り、感心な小僧じゃ……

……

もう一杯
ははっ

三度めは、品のいい小さな茶碗に、熱いお茶が少量入っていました
しかも、香りがいいのです
うむ、満足じゃ！

これほど、相手の立場に立った気配りのできる男ならば、仕事もできるに違いない

その場で、住職に話をして、三成を城に連れて帰りました

側近くに置いて、りっぱな武将になるよう育成したのです

＊太閤検地……豊臣秀吉が全国規模で行った検地（土地調査）をいいます。

このままでは町全体が水につかります！

ええい、早くせき止めるのだ!!

それには膨大な数の土俵が必要でした。しかし、急に作れるはずがありません
どうすべきか、議論に明け暮れているうちに、雨はますます強くなり、水かさが増えていきます

私にお任せください！

ああっ、石田殿、どちらへ⁉
城へ戻るぞ、ついてまいれ!!

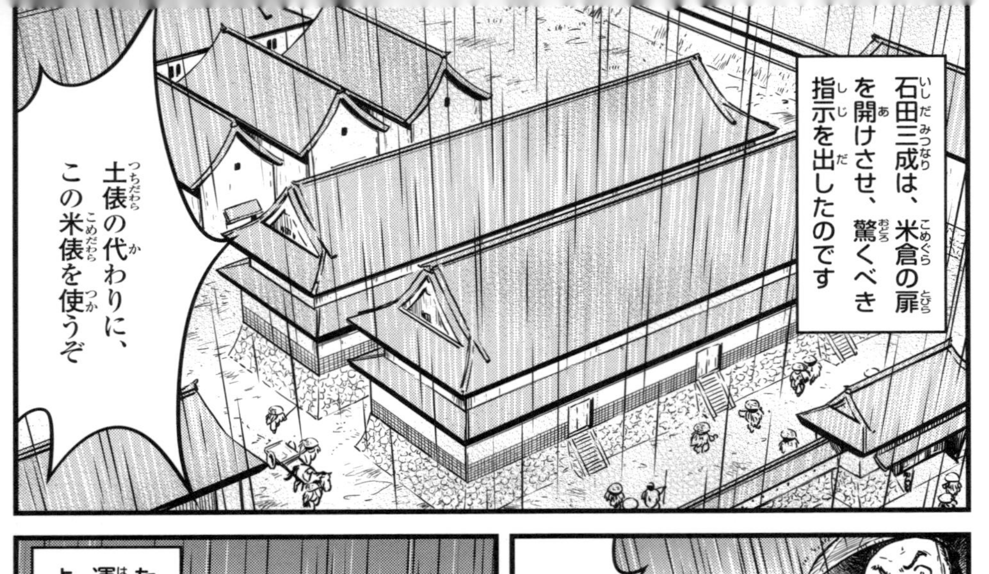
石田三成は、米倉の扉を開けさせ、驚くべき指示を出したのです
土俵の代わりに、この米俵を使うぞ

ええっ!!

皆の者、急げ!

たちまち、数千の米俵が運び出され、堤防に山のように積み上げられました

そのかいあって、大坂の町は、洪水から救われたのでした

ポッ
ポッ

雨が晴れてから、三成は、付近の人たちに、こう告げました

丈夫な土俵を作ってきたならば、米俵と交換して持ち帰ってもよい

おお!
これはありがてえ

わずか一、二日で、すべての米俵が土俵に換わり、堤防の修復が完了したのです

しかも、大雨が降る前よりも丈夫な仕上がりになったのです
とっさの場合に、どういう判断を下すか
常識にとらわれない大胆な発想が、大坂の人々の命を救ったのです

＊関ヶ原……美濃国（現在の岐阜県）南西部にあった平地。一六〇〇年、豊臣政権の主導権を争う戦いが起こった。

相手の立場に立って、優しい言葉や、親切を

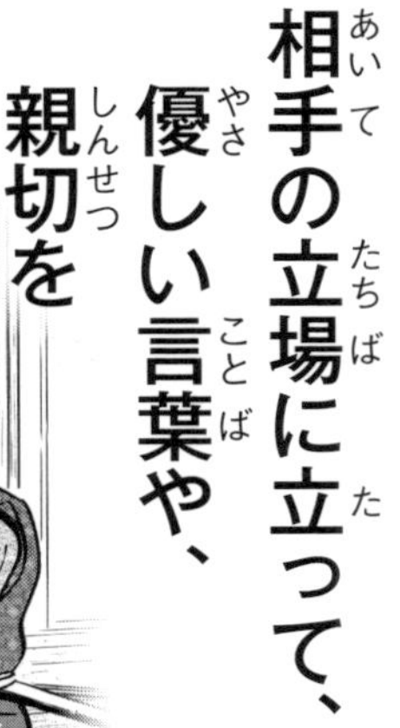

三成が、秀吉に、お茶を出したエピソードは、とても有名です。

一杯めは、ぬるめのお茶を、大きな茶碗で。
二杯めは、やや熱めのお茶を半分ほど。
三杯めは、熱いお茶を少量。

ここから、学ぶべきことがあります。三成は、「お茶が飲みたい」と言った秀吉の気持ちを、敏感に感じ取って、相手が満足するように心配りをしたのです。

このように、相手や周囲の人が、何を望んでいるのか、困っているのかを感じ取るように努力して、優しい言葉をかけたり、手伝ったり、親切したりすることができたら、どれだけ喜ばれるかしれません。

気配り、心配りのできる人に、なりたいですね。

長浜駅前にある
三献茶の銅像

（アマナイメージズ）

佐和山城跡　石田三成は秀吉の参謀として働き、近江国の佐和山を居城としました（現在の滋賀県彦根市）。５層の天守閣があるりっぱな城だったと伝えられています。

（アフロ）

第6話

つらいことがあっても、やけを起こさず、努力を続ければ、必ずチャンスが来る

「いざ鎌倉」が教えていること

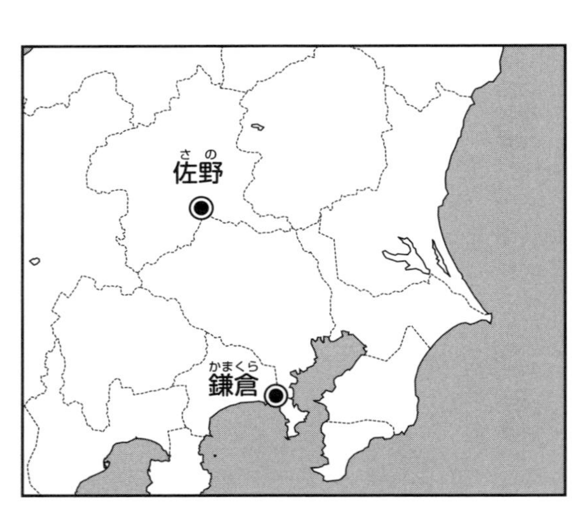

物語紹介

いざ鎌倉

「いざ鎌倉」ということわざがあります。

「さあ、大変だ。一大事が起こった。すぐ駆けつけなければ」という時に使います。

なぜ「鎌倉」なのでしょうか。

それは今から約八百年前、武士による政治の中心が鎌倉（現在の神奈川県鎌倉市）にあったことに由来しています。

この言葉の語源となったエピソードは、「鉢木」という題で、能で演じられてきました。歌舞伎にもなり、長い間、日本人に親しまれてきました。

人生には、さまざまな苦難が押し寄せてきます。苦しい立場に立った時に、どのようにして乗り切ればいいのか。「いざ鎌倉」と「鉢木」の物語は、そのヒントを与えてくれています。

*源　頼朝……一一四七年生～一一九九年没。
*北条時頼……一二二七年生～一二六三年没。

*上野国佐野……現在の群馬県高崎市南東部の地区。

＊前世……生まれる前の世。
＊今生……今、生きている時。

……
おお
わしが
間違っていた
この大雪だ。
まだ遠くへ行っては
いらっしゃるまい
ビュウウウウ

おおい

お坊さま、
お待ちくだされ

雪の中をさまよって
苦しまれるくらいならば、
むさくるしい所ですが、
わが家にお泊まりください
これは
かたじけない

旅の僧に、先ほどの冷たい言葉を詫びて、ともに引き返してきました

パチ
パチ

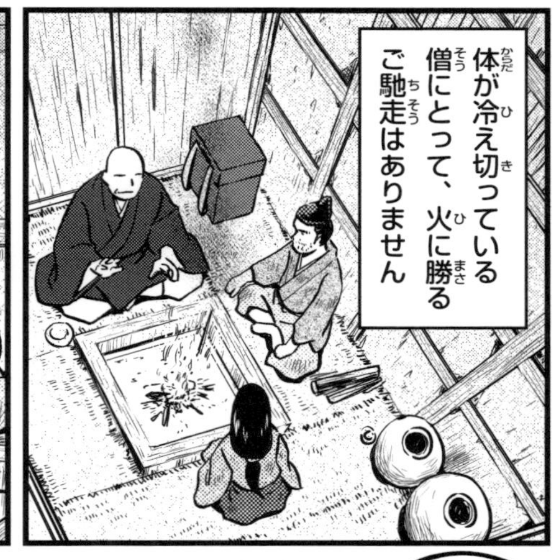
体が冷え切っている僧にとって、火に勝るご馳走はありません

三人は炉を囲んでいましたが、やがて薪がなくなってしまいました

お恥ずかしいことに、暖を取る薪さえじゅうぶんにないのです

ゴト

おお、これは見事な枝ぶりの盆栽
梅、桜、松の三鉢ですな

いかに丹精を込めて育てているか分かる……

お待ちください!!

そのようなりっぱな盆栽を薪にするのは、あまりにも惜しい！

寒い時には火が必要です

この三鉢だけは、落ちぶれても大事にしてきましたが、このまま持っていても意味がありません
今夜のおもてなしに、薪といたしましょう

パチ
パチ

……

……あなたは、元は、名のある武士ではなかったのか
それは……

何を隠しましょう。落ちぶれる前は、佐野の源左衛門常世と名乗っておりました

どうして、このような貧しい生活に……
一族の者に、領地を横取りされてしまったのです

それなら、なぜ、鎌倉の幕府に訴え出て、裁きを受けないのです？
はい……

実は、時を待っているのです
このように落ちぶれてはいますが、もし鎌倉に一大事があれば、ひもがちぎれていても鎧をつけ、
錆びてはいても薙刀を持ち、やせてはいても馬に乗り、一番に馳せ参じる覚悟です

翌年の春、鎌倉幕府は、関東の軍勢に招集をかけました

これを伝え聞いた源左衛門は、ただ一騎、やせ馬に乗って、鎌倉へまっしぐらに駆けたのです

鎌倉には、諸国から、
数多くの武者が
集まってきました
りっぱな馬に乗り、
金銀で飾った鎧や太刀を
つけている者ばかりです

その中で、源左衛門の
貧相な姿は、ひときわ
目立ちました

何だ、あの
ボロ武者は

恥ずかしく
ないのか

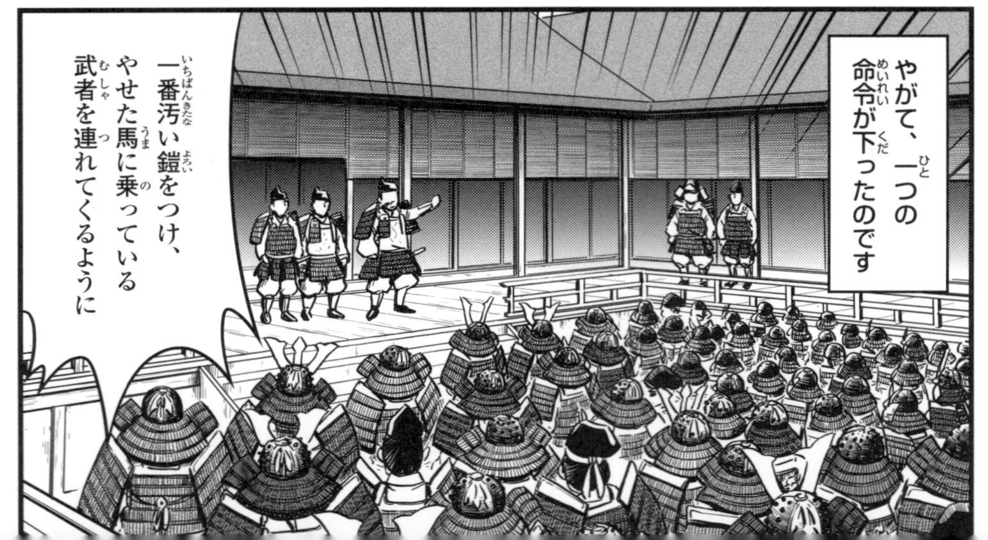
やがて、一つの
命令が下ったのです
一番汚い鎧をつけ、
やせた馬に乗っている
武者を連れてくるように

おい、おまえのことだろう
なんと!

さあ、来い
さては、謀反人と間違われたのではあるまいか

首をはねると言われれば、致し方ない

源左衛門は、少しも悪びれたふうを見せず、前に進み出ました

これは源左衛門ではないか

お忘れかな?

いつぞやの大雪の日に、宿を借りた旅の僧である
この人物こそ、鎌倉幕府の最高権力者・北条時頼だったのです

は、ははーっ！

なんじが申しておったこと、今でも覚えておるぞ

「いざ鎌倉」という一大事が起きた時には、ひもがちぎれていても鎧をつけ、錆びてはいても薙刀を持ち、やせてはいても馬に乗り、一番に馳せ参じる覚悟であるとな
その言葉どおりに、よくぞ参った！

鎌倉武士の手本じゃ!!
ははっ!!

時頼は、彼の日頃の心がけを褒めて、横取りされていた領地を取り返してやりました
源左衛門は、喜び勇んで佐野へ帰っていったのです

この話は「鉢木」という題で、能で演じられてきました
歌舞伎にもなり、長い間、日本人に親しまれてきました

人生のどん底、苦しい逆境の
中にある時の、
源左衛門の「心の持ち方」に、
注目しましょう
・たとえ落ちぶれても、
腐らず、努力する
・いかに納得できないことが
あろうと、怒らず、「時」を待つ
・いつでも、志を失わない

日常、この心構えが
あったから、巡ってきた
チャンスを生かすことが
できたのです

善いことをすれば、善い結果が現れる

大切な心

佐野源左衛門は、雪の中を訪ねてきた旅の僧が、一晩、泊めてほしいと言ってきた時に、「貧しいから」という理由で断ります。

でも、その時、妻は、「私たちが、今、こんなに落ちぶれてしまったのは、前世で、善いことをしてこなかったからではないでしょうか」と言います。

その言葉に、源左衛門は、無慈悲な自分の応対を反省して、雪の中を追いかけ、旅の僧を温かくもてなします。

自分が苦しい時には、怒ったり、やけになったりしてしまうことが多いと思います。しかし、そんな時こそ、心がけたいことがあります。

善いことをすれば、必ず、善い結果が現れます。悪いことをすれば、必ず、悪い結果が現れます。

この法則は、どんなことがあっても、変わりません。

源左衛門夫婦は、そのことに気がついたのです。今が苦しいからこそ、未来を変えるために、少しでも善いことをしようと、二人は決意をしたのでした。

このような心がけで、いつも暮らしていたからこそ、旅の僧に出会ったことをきっかけとして、横取りされていた土地が返ってくるという善い結果が現れたのです。

「悩み事を解決するには、まず、家の中を、整理整頓してみましょう」

イギリスの思想家
カーライルのアドバイス

トマス・カーライル
（1795年生-1881年没）

イギリスで有名な思想家・カーライルの元に、一人の婦人が訪ねてきました
先生、助けてください

家庭のことで、悩んでおります
どうかお願いします……
ん？

さあ、泣かないで
どうされたのですか……
有名なカーライルならば、何か光を与えてくれると思ったのでしょう
実は、家では……
婦人は、どんなことで苦しんでいるのか、詳しく話し始めました
彼は、ただ、うなずきながら聞いています
そして最後に、こうアドバイスしたのです
よく分かりました
その悩みを解決するカギは、あなたが毎日使っている裁縫箱にあります

裁縫箱ですって？

そうです
私の悩みと、どんな関係があるのでしょうか

乱れた糸があったら、きちんと巻き直してください
次にタンスの中を調べて、乱雑に入っている衣服があったら、整頓することです

私が申し上げられるのは、それだけです

は、はあ……

婦人には理解できませんでした

しかし、誠意をもって聞いてくれた
カーライルの言葉だけに、
何か深い意味があるに違いない、
と思って家に帰りました

一週間後

先日は、誠に
ありがとう
ございました

明るい笑顔に戻った婦人が、
再び、彼の元へやってきたのです
裁縫箱の中は、
ご指摘どおり、
針も糸も乱雑に
入っていました

タンスの中も、衣服を、きちんとたたんでいなかったり、種類別に分けていなかったり……
ぐちゃ〜
ひどいわ……

あら、嫌だわ……

……そうして、気がついたら、家中の整理を始めていました
なぜ、こんなに基本をおろそかにしていたのか、恥ずかしくなりました。私の心が乱れていたから、家の中の人間関係も乱れてしまっていたことに気がついたのです

まず、自分のことを謙虚に反省して、相手に思いやりを持って接するように心がけました
そうすると、家族みんなが、お互いのことを気遣うようになり、家の中が明るくなったのです

カーライルは、にっこり笑ってうなずきました

幸せな家庭を築くこと、人間関係をよくすること、悩みを解決することと、整理整頓には、密接な関係があるようです

大切な心

掃除をするままが、自分の心を磨いている

悩み事と、裁縫箱や洋服ダンスの整理整頓は、何の関係もないように思えます。

でも、カーライルに相談に来た婦人は、言われたとおりに実行してみました。すると、本当に、心のモヤモヤが晴れて、これまで気がつかなかったことに気づき、悩みが解決していきました。

掃除や整理整頓の大切さを教えたのは、イギリスのカーライルだけではありません。

掃除が行き届いている工場からは不良品が出ないと言った人もいます。

トイレ掃除をしっかりしているお店は繁盛すると言う人もいます。

寺で仏教の修行をしている人たちは、掃除を、毎日、徹底的に行います。

掃除や整理整頓を心がけるということは、その場所をキレイにするだけでなく、自分の心を磨いているのです。

それがいかに大切なことかは、まず、自ら実行してみると、きっと分かってくると思います。

「ここ一つ、やり抜くぞ！」強く決心して努力すれば、必ず成功する

「愚公、山を移す」の教訓

昔、中国に、愚公という老人がいました

愚公の家の前には大きな山が二つあったのです
どこへ出掛けるにも、この山の麓を、ぐるりと遠回りしなければなりませんでした
実に不便だ

何とかならないものか……
よし
九十歳になろうとする愚公が一大決心をし、家族を集めたのです
おまえたちと力を合わせて、この山を平らにして、真っすぐな道を作ろうと思う

どうだろうか
ザワ
ザワ
えっ⁉

あなた、自分の年を考えてみてください

妻は、真っ先に反対してきました

そんなこと、できるもんですか

第一、山を崩した土や石は、どこへやるんですか

しかし、妻の反対ぐらいで、ぐらつく愚公ではありません

やがて、父親の、強い信念に感動した子供たちが、立ち上がりました

お母さん、大丈夫だよ
僕たちが精一杯、お父さんを助けるから
土や石は、海まで運んで捨てればいいさ

ガッ

こうして愚公は、子供たちを引き連れて作業を開始したのです

*もっこ……土や石などを盛り、棒で担いで運ぶ道具。

この壮大すぎる計画を聞き、
智叟という利口な老人が、
見学に来ました

ぷっ

はっはっはっ

愚公よ、君はなんてバカなんだ。
こんな大きな山を、平らにできるわけがなかろう
だいたい、君は今、九十歳じゃないか。
あと何年、生きているつもりなんだ

やめたほうがいいよ

君の考えは、浅はかだよ

たとえ私が死んでも、子供が残っている。
子供は孫を生む。孫はまた、子供を生む
その子はまた、子供を持つ……
子々孫々と続いて絶えることがない

ところが、山は、これ以上、高くはならないからね
とすれば、いつの日か、必ず、平らにできるはずだ

ぐ……

「自分ほど知恵のある
者はいない」と
自慢していた智叟も、
これには一言も答え
られませんでした

ここから
「愚公、山を移す」
の故事成語が
生まれたのです
努力が大切、と分かっていて
も、あまりにも目の前の山が
大きくて、くじけそうになる
ことがあります。そんな時に、
元気を与えてくれる言葉です

この話は、
大きな目標に向かう者の
心構えを教えています
周囲の理解がなかったり、
口先だけの評論家から
非難されたりしても、
「ここ一つ、やり抜くぞ」
という信念を持ち、努力を
続ければ、必ず、成し遂げる
ことができるのです

イギリスの歴史家、
トマス・カーライルは、
「歴史に残る大事業は、
全て、最初は不可能だと
皆が言っていたものばかり
だ」と語っています

例えば、科学技術の進歩を見ても分かります。
もし、五百年前に、「ロケットに乗って月へ行こう」とか、
「携帯電話で世界中の人と話ができるようにしよう」と
言ったならば、誰もが、「それは無理だ」と思ったでしょう
しかし人類は、世代を超えて努力を
続け、不可能と思われていたことを、
次々に実現してきました。
そこには、「愚公、山を移す」と
同じ覚悟を持って突き進んだ人が、
どれだけあったかしれません

大切な心

大きな目標に向かうには、大きな苦労が必要になる

私たちは、この「愚公、山を移す」から、何を学ぶべきでしょうか。

まず、大きな目標に向かう時には、必ず苦労が伴うことを覚悟しなければなりません。だから、「必ず達成するぞ」という強い気持ちが必要になります。

次に、最初から、「そんなことは無理だ。できるはずがない」と決めてしまっては、進歩も向上もありません。どんな困難な目標であっても、知恵を絞って考えれば、達成する方法が見つかるのです。

愚公が家族を総動員して石を運んでいるところへ、頭のいい人が、「君は、なんてバカなんだ」と文句を言いに来ましたね。あのように、自分は働きもせずに、偉そうに文句を言う人は、世の中に、たくさんいます。自分が正しい目標に向かっているならば、何を言われても、気にする必要はありません。

ただひたすら、目標に向かって努力していけば、必ず達成できるのです。

第9話

「カッと、頭にきたら、すぐに何か言ったり、やったりせずに、三歩、後ろへ下がりましょう」

災いを避ける方法

災いと苦しみを避ける方法を教えよう

それは、ただ「堪忍」の一句である
一人の男が、ある寺で、こう伝授されました。堪忍という言葉には、「我慢する」「怒りをこらえて許す」という意味があります
か、カンニン？

これは、と思う急な時には、まず「堪忍、堪忍」と言って、後ろへ三歩下がりなさい
決して、そのまま前へ進んで、カッとなって思ったとおりのことをしてはなりませんよ

ザ
ッ
はい、分かりました

……ったく、その程度のこと

バカバカしくて、信じられるかい

それから六年がたちました

殿の言いつけで他国へ行っていたが……

久しぶりの故郷だなあ

すっかり夜も更けてしまった……

はははは
？

妻の笑い声……？おかしいぞ

男!?

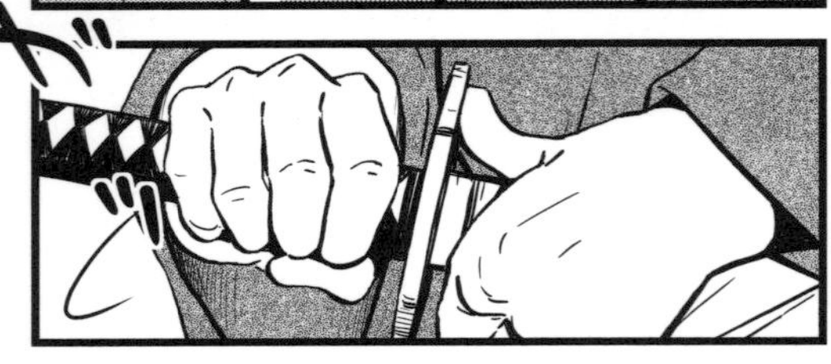
さては、浮気しているな!

おのれ!!

堪忍
堪忍

カッとなって、我慢できない場面に直面したら、「堪忍」と言って、三歩下がりなさい

パチ…

堪忍
堪忍

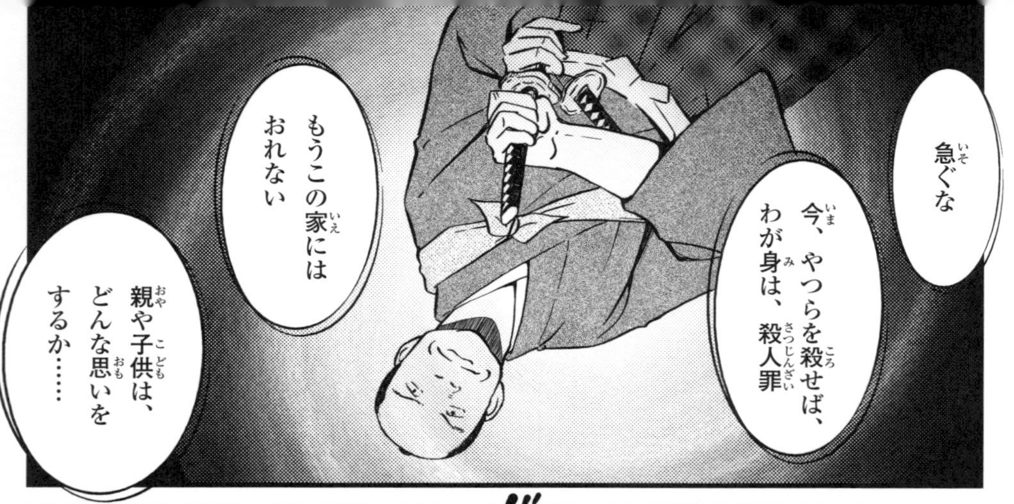
急ぐな
今、やつらを殺せば、わが身は、殺人罪
もうこの家にはおれない
親や子供は、どんな思いをするか……

ドン
ドン
俺だっ。今帰った

婿殿、今帰ったのか
ガラッ
?

ガラリ
義母上様!

頭巾を取った姿は、男ではなく、妻の母だったのです
少しでも生活費を稼ごうと、夜なべ仕事を始めたんですよ

でも、夜は女だけでは物騒なので、私が男に変装して、この家を守っていたんですよ

ガクッ
あなた……

ああ、「堪忍」の一句がなければ、俺は今頃、妻と母を殺していたんだ

＊トマス・ジェファーソン……一七四三年生〜一八二六年没。アメリカ合衆国第三代大統領。

大切な心

怒りの心のまま、何かを言ったり、やったりしない

ある僧侶が、一人の男に、
「カッとなって、怒りの心がわいてきたら、心の中で『堪忍、堪忍』と言いながら、三歩下がりなさい」
と教えました。

これは、私たちにとっても、非常に大切な心構えです。

だいたい、怒りの心のまま、何かを言ったり、やったりすると、必ず失敗します。相手を傷つけたり、友達との関係が悪くなったりして、必ず後悔するのです。

自分が、何かを誤解して、カッとなっているのかもしれません。相手に、やむをえない事情があるのかもしれません。とにかく、事情を、冷静に判断する余裕が必要なのです。

そのためには、カッとなったら、まず、「怒るなよ。しばらく我慢しろよ。爆発したら後悔するぞ」と自分に言い聞かせることが大切なのです。

人間の心の中には、「怒り」という、恐ろしい心があることを、よく知っておきましょう。

第10話

「たった三分」の違いで、学校の成績が一番になったり、将来、大統領になったりする

わずかな時間もムダにしなかったガーフィールド

ジェームズ・ガーフィールド
（1831年生-1881年没）

昔から、
「一寸の光陰軽んずべからず」
と教えられています。
「ほんのちょっとの時間でも、
無駄にしてはならない」
という意味です
アメリカのガーフィールドは、
ほんのわずかな時間でも大切に
して勉強に頑張った人でした

ガーフィールドの父親は、
彼の幼い頃に亡くなりました。
そのため、家庭は、とても
貧しかったのです
しかし、ガーフィールドは、
何としても、高校に入って
勉強したいと決意しました

彼は、とても勇気がありました。直接、校長先生に相談に行ったのです

私は、高校で勉強したいのですが、家庭の事情で、親からは学費をもらうことはできません

はなはだ厚かましいお願いですが、私を、学校の掃除係として雇ってもらえないでしょうか
その給料を授業料に充てさせてください

ガーフィールドは自分の気持ちを一生懸命に伝えました

オーケー、いいだろう
熱意に打たれた校長は、すぐに許可してくれました

彼は、毎朝五時から、校内の掃除を始めます
昼間は授業を受け、放課後は再び夜遅くまで全校舎の掃除をするのが日課になりました

わずかな時間を惜しんで、仕事の合間にも、一心不乱に勉強を続けました

学生の中で、自由になる時間が最も少ないはずなのに、ガーフィールドの成績は、常にトップでした

その後、大学へ進んでも、熱烈な
勉学ぶりは変わりませんでした
いつも抜群の成績でした

しかし……

どうしても数学は
一番になれない
数学だけは、
同じ寮で生活している友人に
負けてしまうのです

全力を
尽くしているのに、
どうしてだろう……

そんな、ある日

さあ、もうすぐ
寮の消灯時間だ

何となく、ライバルの部屋が気になります

あっ！

まだ明かりがついている
やはり、僕よりも長く勉強していたのだ……

彼は、明かりが消えるのを待ちました

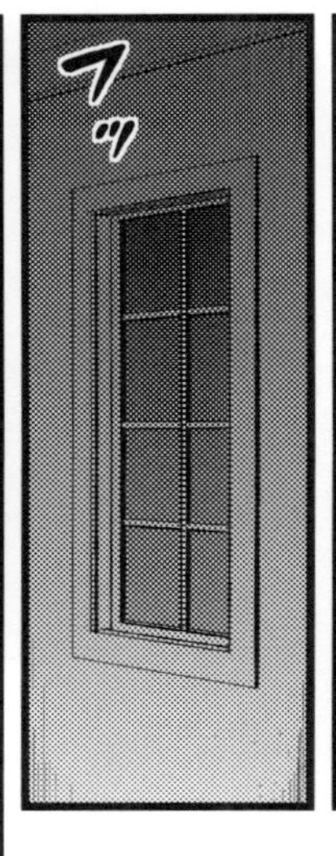
フッ

しかし、それは、ほんの三分間の差でしかなかったのです

これだ！
このわずかな違いが、
原因だったのだ

次の晩から彼は、友人
よりも三分間、遅く
寝ることにしました。
その分だけ多く
勉強したのです
この結果は、間もなく成績に
表れました。見事にライバルを
打ち破って、ガーフィールドが
一番になったのです

大学を卒業してからも努力を続けた
ガーフィールドは、四十九歳の時に、
アメリカ合衆国第二十代大統領に
選ばれました

彼は、学生時代を回想して、こう語っています
数学のテストで一番になったことなど、ささいなことだと笑われるかもしれない。しかし、私にとっては、とても貴重な体験だった

わずかな時間でもムダにせず、一生懸命に努力すれば、必ず成功すると、ハッキリと知らされたのだ
私は、この時、いかなる種類の戦いにも勝利を得る秘訣を知った。それは、たとえわずかな時間でも活用するぞ、という熱意である

大切な心

わずかな時間も惜しんで、有効に使う

ガーフィールドは、大学時代に、数学の成績だけ、一番になれませんでした。同じ寮に住んでいる友人に負けていたのです。どれだけ必死に勉強しても勝てませんでした。

そして、ある日、友人は、自分よりも三分間、長く勉強していることを発見したのです。

ガーフィールドは、次の日から、友人よりも三分間、遅く寝ることにしました。それだけ、多く勉強したのです。その結果は、ハッキリと現れました。ガーフィールドは、数学も一番になったのです。

「わずか三分間」を、どう使うかによって、結果が大きく変わることを、彼は、学びました。

ガーフィールドは、「友人よりも、一分でも長く勉強しよう」「他の人よりも、一分でも長く仕事をしよう」という気持ちで、時間を大切に使うようになりました。

このようにして、十年、二十年と努力を続けたからこそ、四十九歳の時に、アメリカ合衆国の大統領に選ばれたのです。

私たちも、時間を大切にしていきたいですね。

原作

新装版『こころの道』

新装版『こころの朝』

新装版『思いやりのこころ』

『人生の先達に学ぶ まっすぐな生き方』

この歴史マンガは、木村耕一編著の、上記の書籍に掲載されている
エピソードを原作として描いたものです。

〈参考文献〉

【1】白瀬矗
大森洋子「海を渡った日本人(11)白瀬矗中尉と秋田県金浦町」(『LA MER』2008年5･6月号)
小島敏男『南極観測船ものがたり』成山堂書店、2005年
白瀬京子『雪原へゆく わたしの白瀬矗』秋田書房、1986年
白瀬矗「南極探検」(筑摩書房編集部編『世界ノンフィクション全集』36、筑摩書房、1962年)
白瀬矗『私の南極探検記』日本図書センター、1998年
綱淵謙錠『極—白瀬中尉南極探検記』上、新潮社、1983年
もりいずみ「日本人としてはじめて南極探検の偉業をなしとげた—白瀬矗」(『Newton』2004年1月号)

【2】カーネル・サンダース
藤本隆一『カーネル・サンダース』産能大学出版部、1998年

【3】豊臣秀吉
司馬遼太郎『新史太閤記』、新潮社、1968年

【4】小林虎三郎
坂本保富『米百俵の歴史学』学文社、2006年
島宏『米百俵』ダイヤモンド社、1993年
山本有三『米百俵』新潮文庫、2001年

【5】石田三成
岡谷繁実『名将言行録』岩波文庫、1943年

【6】鉢木
佐成謙太郎『謡曲大観』4、明治書院、1954年
『北条時宗』(歴史群像シリーズ64)、学習研究社、2001年

【7】トマス・カーライル
有原末吉(編)『新装版 教訓例話辞典』東京堂出版、1998年
鈴木健二・篠沢秀夫(監修)『人を動かす「名言・逸話」大集成』講談社、1983年

【8】愚公
神島康(訳)『カーネギー名言集 新装版』創元社、2000年
小林信明『列子』(新釈漢文大系22)、明治書院、1967年

【10】ジェームズ・ガーフィールド
『古今逸話特選集』(修養全集8・復刻版)、講談社、1976年

まんが：**太田 寿**（おおた ひさし）

昭和45年、島根県生まれ。
名古屋大学理学部分子生物学科卒業。
代々木アニメーション学院卒業。映像制作の仕事を経て、
現在イラスト・マンガを手がける。
日本の戦国時代を中心とした歴史の話題を好み、
城跡を愛する二児の父親。
月刊誌などに連載マンガ多数。
歴史マンガは、英語、ポルトガル語にも翻訳されている。

原作・監修：**木村 耕一**（きむら こういち）

昭和34年、富山県生まれ。
富山大学人文学部中退。
東京都在住。エッセイスト。
著書　新装版『親のこころ』、『親のこころ２』、『親のこころ３』
　　　新装版『こころの道』、新装版『こころの朝』
　　　新装版『思いやりのこころ』
　　　『人生の先達に学ぶ　まっすぐな生き方』
　　　『こころ彩る徒然草』

マンガ　歴史人物に学ぶ
大人になるまでに身につけたい大切な心５

平成29年(2017)　８月２日　第１刷発行

まんが　太田 寿
原作・監修　木村 耕一
発行所　株式会社 １万年堂出版
〒101-0052　東京都千代田区神田小川町2-4-20-5F
電話　03-3518-2126　FAX　03-3518-2127
https://www.10000nen.com/
装幀・デザイン　遠藤 和美
印刷所　凸版印刷株式会社

 ISBN978-4-86626-028-0　C8037

歴史人物に学ぶ大切な心⑤

6 いざ鎌倉

善いことをすれば、善い結果が現れる

7 トマス・カーライル

掃除をするままが、自分の心を磨いている